Auf dem Ba

On the Farm

Susanne Böse Irene Brischnik

Hanna und Simon haben viel zu tun. Das Kaninchengehege muss sauber gemacht werden. Aber wo ist Simon? Hanna sucht ihn. Zuerst geht sie in den Stall.

Hannah and Simon have lots to do. The rabbit pen has to be cleaned. But where is Simon? Hannah looks for him. First she goes to the stable.

das Kaninchen	der Stall	die Kuh
rabbit	stable	cow

Papa melkt gerade die Kühe. Ist das Kälbchen nicht süß?
Es saugt an Hannas Hand, seine Zunge ist ganz rau.
Aber Simon ist nicht zu sehen.

Dad is milking the cows. Isn't that calf cute?
It sucks on Hannah's hand and its tongue is really rough.
But Simon is nowhere to be seen.

das Kalb

calf

der Eimer

bucket

die Milch

milk

Vielleicht versteckt sich Simon im Heu oder hinter den Strohballen. Hanna geht in die Scheune. Aber dort ist nur die Katze mit ihren sechs Jungen.

Maybe Simon is hiding in the hay or behind the straw bales. Hannah goes into the barn. But inside she only finds the cat with her six babies.

das Heu
hay

der Strohballen
straw bale

die Scheune
barn

die Heugabel
pitchfork

Nebenan repariert Opa gerade den Mähdrescher.
Hanna läuft zu ihm und fragt: „Hast du Simon gesehen?"
„Vorhin war er noch im Obstgarten", sagt Opa.

Grandpa is repairing the combine nearby.
Hannah runs to him and asks: "Have you seen Simon?"
"He was in the orchard a minute ago," says Grandpa.

der Mähdrescher

combine

der Traktor

tractor

der Pflug

plow

Im Obstgarten pflückt sich Hanna einen Apfel. Mhm, lecker! Wo kann Simon noch sein? Vielleicht hilft er auf dem Feld! Dort wird jetzt der Mais ganz klein geschnitten und dient im Winter als Futter für das Vieh.

In the orchard, Hannah picks herself an apple. Mmm, yummy! Where else could Simon be? Maybe he's helping in the field! There, the corn is being chopped up really small to be used as feed for the animals in the winter.

der Baum

tree

das Obst

fruit

der Apfel

apple

Hanna wartet, bis Johannes mit dem großen Traktor kommt.
Sie muss schreien, denn der Traktor ist sehr laut: „Wo ist Simon?“
Johannes lacht und zuckt mit den Schultern.

Hannah waits until John comes closer in the big tractor. She has to shout, because the tractor is really loud: “Where is Simon?” John laughs and shrugs his shoulders.

die Pflaume
plum

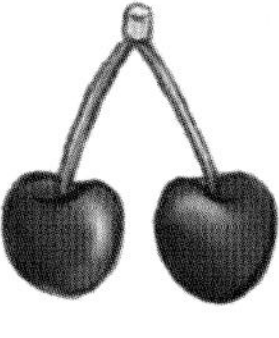

die Kirschen
cherries

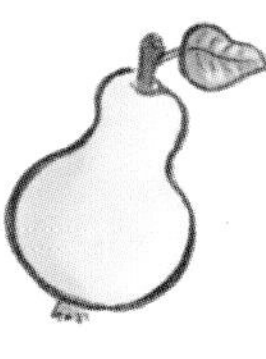

die Birne
pear

der Maiskolben
corncob

Hanna geht in die Küche zu Oma. Die backt gerade Kuchen für den Nachmittag. Hanna darf den Teig probieren und ein paar Heidelbeeren naschen. Aber auch Oma hat Simon nicht gesehen.

Hannah goes to her Grandma, who is in the kitchen baking a cake for that afternoon. Hannah gets to try the batter and eat a few blueberries. But Grandma hasn't seen Simon either.

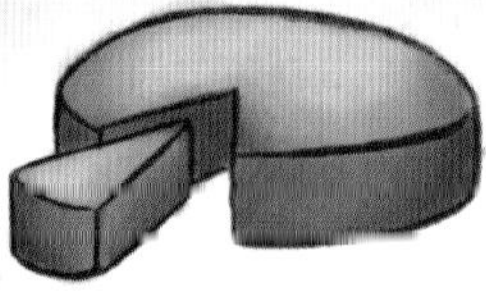

der Kuchen

cake

der Teig

batter

die Heidelbeere

blueberry

Jetzt sucht Hanna im Gemüsegarten nach Simon. Aber dort trifft sie nur Lisa, ihre große Schwester. Lisa erntet gerade Kopfsalat, Gurken und Tomaten für den Hofladen. Von Simon keine Spur.

Next Hannah looks for Simon in the vegetable garden. But only Lisa, her older sister, is there. Lisa is harvesting lettuce, cucumber and tomatoes for the store. There is no sign of Simon.

der Kopfsalat
lettuce

die Gurke
cucumber

die Tomate
tomato

Hanna seufzt und besucht Mama im Hofladen. Die hat alle Hände voll zu tun: Frau Müller kauft Käse, Eier, Milch und Butter. Frau Schmidt liebt das ofenfrische Brot, die selbst gemachten Marmeladen und den Honig. Mama hat überhaupt keine Zeit für Hanna und scheucht sie wieder nach draußen.

der Käse

cheese

das Ei

egg

die Butter

butter

Hannah sighs and visits Mom in the farm store. Mom has her hands full. Mrs. Miller is buying cheese, eggs, milk and butter. Mrs. Schmidt loves the warm bread straight from the oven, the homemade jam and the honey. Mom has no time for Hannah and shoos her back outside.

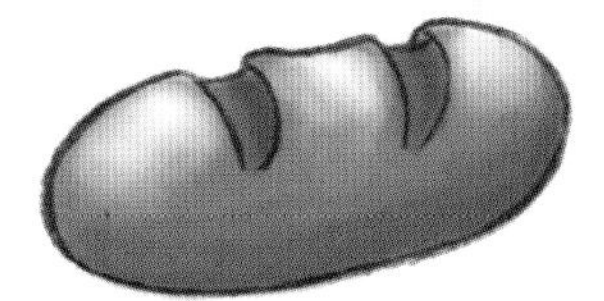

das Brot

bread

die Marmelade

jam

der Honig

honey

Missmutig schlendert Hanna zurück zum Kaninchengehege.
„Dann mache ich eben alleine sauber“, murmelt sie.
„Da bist du ja endlich! Ich bin schon fast fertig“, ruft da jemand.

Hannah strolls grumpily back to the rabbit pen.
“Then I’ll just have to do it by myself,” she mumbles.
“Finally! Where have you been? I’m
almost done,” someone yells.

der Kaninchenstall

rabbit hutch

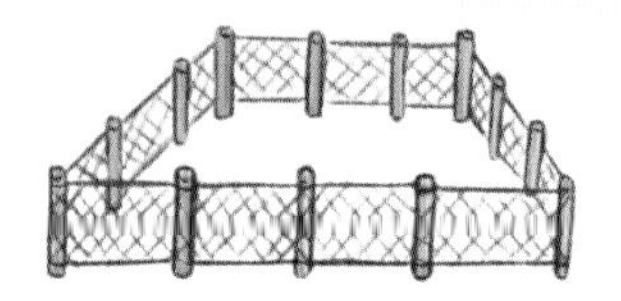

das Gehege

pen

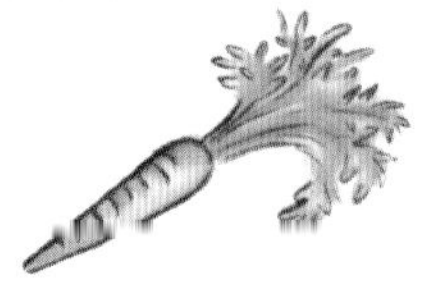

die Karotte

carrot

der Besen

hand broom

Hanna traut ihren Augen nicht: Da steht Simon, mitten zwischen den Kaninchen. Das Gehege sieht sauberer aus als er selbst. Hanna lacht: „Das nächste Mal bin ich dran!“

Hannah can’t believe her eyes: Simon is standing among the rabbits. The pen looks cleaner than he does. Hannah laughs: “Next time it’s my turn!”

die Schaufel

dustpan

der Rechen

rake

die Tränke

water bottle

der Futternapf

food dish

Die Bauernhoftiere

die Kuh / das Kalb
cow / calf

das Huhn / der Hahn / das Küken
chicken / rooster / chick

der Hund / der Welpe
dog / puppy

die Gans / das Gänseküken
goose / gosling

das Schwein / das Ferkel
pig / piglet